TRIVIAL PURSUIT

SPÉCIAL ANNÉES

70's

200 QUESTIONS

MARABOUT

Introduction

À qui Serge Gainsbourg a-t-il dédié *La Javanaise* ?
Qui a précédé John Major comme Premier ministre du
Royaume-Uni ? D'après la chanson du générique, d'où
vient le Capitaine Flam ? Quelle confiserie au caramel
s'est habillée d'une blague à partir de 1969 ? Au football,
quelle marque a équipé les Bleus jusqu'en 1972 ?

Vous ne préparez pas le concours de l'ENA mais vous
avez envie d'étendre votre culture générale tout en vous
amusant ? Alors vous avez choisi le bon livre !

En près 200 questions, réparties sur plus 40 thématiques
différentes, amusez-vous à tester vos connaissances
seul, en famille ou entre amis ! Les questions sont
classées par thème, chaque double correspondant
à un univers différent. Les règles du jeu sont ensuite
archisimples : lisez la question, donnez la réponse qui
vous semble la bonne et vous saurez immédiatement si
vous avez vu juste en vous reportant aux solutions en fin
d'ouvrage !

Bref, voici enfin le livre indispensable aux insatiables
curieux, aux accros aux quiz et aux mordus de culture
générale !

Sommaire

FRANCE

SOLUTIONS P. 69

1 Comment signalait-on que l'on était jeune conducteur dans les années 1970-1990 ?

2 Qui était ministre de l'Éducation nationale quand ont éclaté les événements de mai 1968 ?

A. Louis Joxe **B.** Alain Peyrefitte

C. Edgar Faure

D. Olivier Guichard

3 Qui a précédé Serge July à la direction de la publication du quotidien *Libération* ?

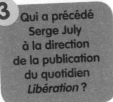

4 Quel président de la République aimait s'inviter à dîner chez les Français ?

A. Charles de Gaulle

B. Georges Pompidou

C. Valéry Giscard d'Estaing

D. François Mitterrand

5 Sous quel autre nom est mieux connu Georges Bernier ?

Associez chaque événement à sa date.

1. De quelle année date
le manifeste des 343 Salopes ?

2. En droit français, en quelle
année l'autorité paternelle
a-t-elle laissé place à
l'autorité parentale ?

3. En quelle année le port
de la ceinture de sécurité à
l'avant des véhicules et hors
agglomération est-il devenu
obligatoire ?

4. En quelle année l'État français
a-t-il définitivement aboli l'usage
de la guillotine ?

5. Depuis quelle année
la majorité civile en France
est-elle fixée à 18 ans ?

• 1970

• 1971

• 1973

• 1974

• 1977

PEOPLE

SOLUTIONS P. 69

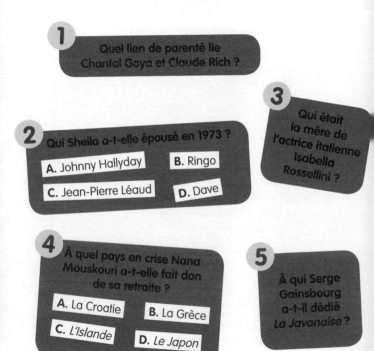

1 Quel lien de parenté lie Chantal Goya et Claude Rich ?

2 Qui Sheila a-t-elle épousé en 1973 ?

A. Johnny Hallyday

B. Ringo

C. Jean-Pierre Léaud

D. Dave

3 Qui était la mère de l'actrice italienne Isabella Rossellini ?

4 À quel pays en crise Nana Mouskouri a-t-elle fait don de sa retraite ?

A. La Croatie

B. La Grèce

C. L'Islande

D. Le Japon

5 À qui Serge Gainsbourg a-t-il dédié *La Javanaise* ?

Cochez la bonne réponse.

1. Sous quel nom de scène Annie Chancel est-elle mieux connue ?
❏ Annie Cordy
❏ Sheila
❏ Mylène Farmer
❏ Jeanne Mas

2. Sous quel nom Paul Hewson est-il mieux connu ?
❏ Bruce Springsteen
❏ Sting
❏ Jon Bon Jovi
❏ Bono

3. Sous quel nom de scène le chanteur Yvan-Chrysostome Doltovitch, fils de la psychanalyste Françoise Dolto, a-t-il été mieux connu ?
❏ Dave
❏ Carlos
❏ Plastic Bertrand
❏ Yves Duteil

4. Sous quel nom la chanteuse Chantal de Guerre est-elle mieux connue ?
❏ Chantal Lauby
❏ Mylène Farmer
❏ Chantal Goya
❏ Sheila

5. Sous quel nom était mieux connu Claude Dhotel ?
❏ Claude François
❏ C. Jérôme
❏ Carlos
❏ Dave

ARTS

SOLUTIONS P. 70

1

Quelle plasticienne néoréaliste a réalisé une série de sculptures représentant des femmes, les *Nanas* ?

2 Comment surnomme-t-on l'ensemble conçu par l'architecte Gérard Grandval à Créteil ?

A. Les Choux **B.** Les Plants

C. Les Fleurs **D.** Les Ballons

3 Quel prix d'architecture est décerné chaque année par la fondation Hyatt depuis 1979 ?

4 Quel opéra a été construit par le Danois Jorn Utzon et inauguré en 1973 ?

A. L'opéra de Shanghai **B.** L'opéra de Sydney

C. L'opéra de Dubaï **D.** L'opéra de New York

5 Quel sculpteur américain est surtout connu pour ses mobiles et sa fascination pour le cirque ?

6

Répondez aux questions suivantes.

1. Quel héros de bande dessinée vit entouré de sa mouette rieuse, de son chat et de Bubulle, son poisson rouge ?

....

2. Quel héros de bande dessinée, créé par Hugo Pratt, parcourt les mers du monde d'aventure en aventure ?

....

3. Quel personnage de Pétillon mène l'enquête dans la BD *L'Enquête corse* ?

....

4. Quel héros de bande dessinée partage avec son compagnon d'aventures Kurdy Malloy sa haine de l'injustice ?

....

5. Quel couple de bande dessinée, moitié viking, moitié peuple des étoiles, donne naissance à deux enfants, Jolan et Louve ?

....

EUROPE

SOLUTIONS P. 70

1 En quelle année la catastrophe de Seveso a-t-elle eu lieu ?

2 Charles XVI Gustave, de son vrai nom Carl Gustaf Folke Hubertus Bernadotte, est roi de quel pays depuis 1973 ?

A. Les Pays-Bas   **B.** Le Luxembourg

C. Le Danemark   **D.** La Suède

3 Quel pays avait pour monnaie le litas, avant l'arrivée de l'euro ?

4 Dans quel pays a eu lieu la Révolution des Œillets en 1974 ?

A. Au Portugal   **B.** En Espagne

C. En Italie   **D.** En Grèce

5 Pendant la guerre froide, comment s'appelait le point de contrôle situé sur Friedrichstraße entre Berlin-Ouest et Berlin-Est ?

16

TRIVIAL PURSUIT

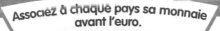

6

Associez à chaque pays sa monnaie
avant l'euro.

1. Allemagne ....

2. Autriche ....

3. Grèce ....

4. Italie ....

5. Espagne ....

6. Irlande ....

7. Portugal ....

8. Luxembourg ....

9. Pays-Bas ....

10. Finlande ....

Deutsche Mark • Schilling • Franc • Peseta • Livre • Lire •
Florin • Escudo • Drachme • Couronne

SPORTIFS

SOLUTIONS P. 71

1 Dans quelle épreuve sportive créée en 1977, le Polonais Mariusz Pudzianowski a-t-il emporté cinq fois le titre mondial ?

2 Dans quelle discipline Mike Powell a-t-il battu le record établi par Bob Beamon ?

A. En saut en hauteur

B. En saut en longueur

C. En saut à la perche

D. En triple saut

3 Quelle gymnaste a été la première à obtenir un « 10 » aux Jeux olympiques de 1976 ?

4 Au cours de quel Tour de France Eddy Merckx et Luis Ocaña ont-ils chuté dans le même virage du col de Menté ?

A. 1965 **B.** 1967

C. 1971 **D.** 1973

5 Quel ancien footballeur français est devenu président de l'UEFA en 2007 ?

Trouvez le bon sportif !

1. Qui a détenu pendant 36 ans le record du plus grand nombre de médailles remportées au cours d'une même olympiade ? •

• Bernard Hinault

2. Quel athlète a remporté 122 fois de suite le 400 m haies ? •

• Edwin Moses

3. Quel coureur cycliste était surnommé « le Cannibal » ? •

• Mark Spitz

4. Quel coureur cycliste était surnommé « le Blaireau » ? •

• Jim Hines

5. Quel athlète est parvenu à courir le 100 m en moins de 10 secondes aux Jeux de 1968 ? •

• Eddy Merckx

CINÉMA

SOLUTIONS P. 71

1 Quel film a remporté l'Oscar des Meilleurs Effets spéciaux en 1968 ?

2 Quelle célèbre actrice s'appelait en réalité Rosemary Albach-Retty ?

A. Greta Garbo

B. Maria Schneider

C. Romy Schneider

D. Elizabeth Taylor

3 Quel film relate les évènements survenus à Derry, en Irlande, le dimanche 30 janvier 1972 ?

4 Dans quel film de 1979 les Rois mages se trompent-ils d'étable en arrivant en Galilée ?

A. *La Vie de Ryan*   **B.** *La Vie de Brian*

C. *La Vie de John*   **D.** *La Vie de Charly*

5 Qui incarne Emmanuelle au cinéma dans les années 1970 ?

6

Cochez la bonne réponse.

1. Lequel de ces interprètes de James Bond s'est glissé dans la peau de l'espion le plus grand nombre de fois ?

❏ Sean Connery   ❏ Roger Moore
❏ Pierce Brosnan   ❏ Daniel Craig

2. Pour quel service de renseignements James Bond travaille-t-il ?

❏ Le Mi4   ❏ Le Mi5
❏ Le Mi6   ❏ Le Mi7

3. Quelle actrice incarne la James Bond girl sortie des eaux en bikini dans *James Bond contre Dr No* ?

❏ Ursula Andress   ❏ Eunice Gayson
❏ Daniela Bianchi   ❏ Shirley Eaton

4. Quel est le premier film de James Bond à avoir été réalisé après la fin de la guerre froide ?

❏ *Tuer n'est pas jouer*   ❏ *Permis de tuer*
❏ *GoldenEye*   ❏ *Demain ne meurt jamais*

5. À quel animal ressemble le sous-marin de poche utilisé par James Bond dans *Octopussy* ?

❏ À une pieuvre   ❏ À un hippocampe
❏ À un requin   ❏ À un crocodile

SCIENCES

SOLUTIONS P. 72

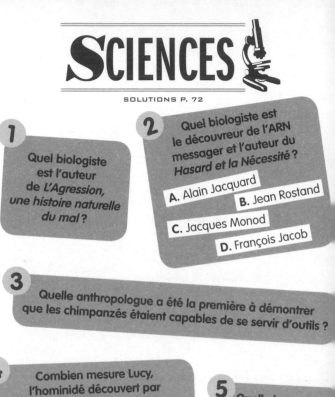

1 Quel biologiste est l'auteur de *L'Agression, une histoire naturelle du mal* ?

2 Quel biologiste est le découvreur de l'ARN messager et l'auteur du *Hasard et la Nécessité* ?

A. Alain Jacquard

B. Jean Rostand

C. Jacques Monod

D. François Jacob

3 Quelle anthropologue a été la première à démontrer que les chimpanzés étaient capables de se servir d'outils ?

4 Combien mesure Lucy, l'hominidé découvert par Yves Coppens en 1974 ?

A. 1 m à 1,10 m
B. 1,10 m à 1,20 m
C. 1,20 m à 1,30 m
D. 1,30 à 1,40 m

5 Quelle hormone retrouve-t-on dans la composition de la micropilule ?

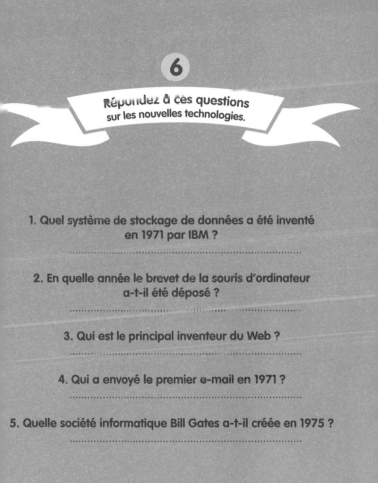

6

Répondez à ces questions
sur les nouvelles technologies.

1. Quel système de stockage de données a été inventé
en 1971 par IBM ?

....

2. En quelle année le brevet de la souris d'ordinateur
a-t-il été déposé ?

....

3. Qui est le principal inventeur du Web ?

....

4. Qui a envoyé le premier e-mail en 1971 ?

....

5. Quelle société informatique Bill Gates a-t-il créée en 1975 ?

....

MUSIQUE

SOLUTIONS P. 72

1 Avec quel titre le groupe ABBA a-t-il remporté le concours Eurovision en 1974 ?

2 Qui chante « J'ai bien mangé, j'ai bien bu » dans les années 1970 ?

A. Salvatore Adamo

B. Gérard Lenorman

C. Patrick Topaloff

D. Claude François

3 Dans quelle chanson de Téléphone, la jeune héroïne « pour ses 30 ans est la plus triste des mamans » ?

4 Quelle chanson tirée du film Grease (1978) a été reprise par Pauline Croze ?

A. *Summer Nights*   B. *Sandy*

C. *You're the One That I Want*   D. *Blue Moon*

5 Qui chante que « c'est triste Orly le dimanche, avec ou sans Bécaud » ?

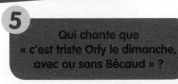

Reconstituez 8 noms de chanteurs français à partir de ces syllabes.

LI	BOURG	TRE	BREL	FORT	CO
GA	NOU	DA	GAINS	NET	GRE
NAUD	RE	DA	CA	CHAM	RO

1. ....

2. ....

3. ....

4. ....

5. ....

6. ....

7. ....

8. ....

LITTÉRATURE

SOLUTIONS P. 73

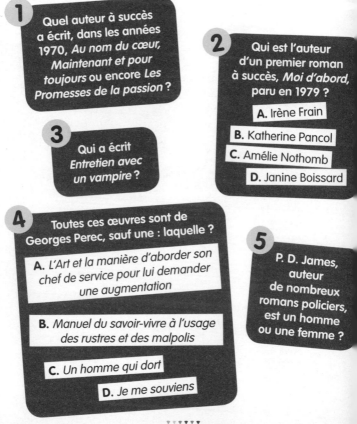

1 Quel auteur à succès a écrit, dans les années 1970, *Au nom du cœur*, *Maintenant et pour toujours* ou encore *Les Promesses de la passion* ?

2 Qui est l'auteur d'un premier roman à succès, *Moi d'abord*, paru en 1979 ?

A. Irène Frain

B. Katherine Pancol

C. Amélie Nothomb

D. Janine Boissard

3 Qui a écrit *Entretien avec un vampire* ?

4 Toutes ces œuvres sont de Georges Perec, sauf une : laquelle ?

A. *L'Art et la manière d'aborder son chef de service pour lui demander une augmentation*

B. *Manuel du savoir-vivre à l'usage des rustres et des malpolis*

C. *Un homme qui dort*

D. *Je me souviens*

5 P. D. James, auteur de nombreux romans policiers, est un homme ou une femme ?

Reliez chaque roman de Stephen King
à sa première date de publication.

1. *Salem* • • 1979

2. *Dead Zone* • • 1975

3. *La Ligne verte* • • 1977

4. *Shining, l'enfant lumière* • • 1988

5. *Carrie* • • 1996

6. *Ça* • • 1978

7. *Le Fléau* • • 1974

JEUX

SOLUTIONS P. 73

1 Avec quel casse-tête, créé en 1974, s'affrontent les compétiteurs du championnat de France pour battre le record de 12,27 secondes ?

2 Combien de cartes un jeu de *Uno* contient-il ?

A. 96 cartes

B. 100 cartes

C. 108 cartes

D. 112 cartes

3 Dans quel jeu pourriez-vous être amené à réparer un cœur brisé, de l'eau dans le genou ou une clé à la cheville ?

4 Quel jeu s'appelait *Quelques arpents de pièges* lors de sa création au Québec ?

A. *Trivial Pursuit*

B. *Cranium*

C. *Monopoly*

D. *Risk*

5 Qui a sorti le premier Pong de l'histoire des jeux vidéo en 1972 ?

6

Cochez la bonne réponse.

1. Sur combien d'octets étaient codés les 256 niveaux du Pac-Man d'origine ?

❑ 1 octet
❑ 5 octets
❑ 10 octets
❑ 15 octets

2. En quelle année a été créé le Loto par la Française des jeux ?

❑ 1970
❑ 1973
❑ 1976
❑ 1979

3. Quelle marque de jouets, en pleine expansion dans les années 1970 vient du danois « joue bien » ?

❑ Djeco
❑ Duplo
❑ Lego
❑ Chicco

4. Combien y a-t-il de joueurs sur la barre des « demis » au baby-foot ?

❑ 4
❑ 5
❑ 6
❑ 7

5. Quel pays organise chaque année les Championnats du monde de Air Guitar ?

❑ L'Allemagne
❑ La Grande-Bretagne
❑ La France
❑ La Finlande

MONDE

SOLUTIONS P. 74

1 De quel pays le Mozambique est-il devenu indépendant en 1975 ?

2 En quelle année la guerre du Kippour a-t-elle eu lieu ?

A. 1969   **B.** 1973

C. 1976   **D.** 1979

3 Qui a dirigé l'Organisation de libération de la Palestine entre 1969 et 2004 ?

4 De quel président américain est signé le message laissé sur la Lune par les astronautes d'*Apollo11* ?

A. Kennedy   **B.** Johnson

C. Nixon   **D.** Ford

5 Qui a assassiné John Lennon ?

Répondez aux questions suivantes.

1. Dans quelle ville s'est ouvert le premier Hard Rock Cafe ?

....

2. Quel paquebot est devenu le *Norway* en 1979,
puis le *Blue Lady* en 2006 ?

....

3. Qui a été le premier pape à rouler en papamobile ?

....

4. Au cours de quelle guerre la série
des années 1970 *M*A*S*H* se situe-t-elle ?

....

5. Comment Philippe Petit a-t-il parcouru
la distance entre les deux toits des tours jumelles
du World Trade Center en 1974 ?

....

ASTRONOMIE

SOLUTIONS P. 74

1 Quel était le nom du premier engin à se poser sur Mars ?

2 Quel astronaute pilotait le module de commande Columbia pendant que Buzz Aldrin et Neil Armstrong marchaient sur la Lune ?

A. Michael Collins

B. Youri Gagarine

C. Harrison Smitt

D. Jim Lovell

3 En quelle année a eu lieu la mission *Apollo 13* ?

4 Quelle fut la première station spatiale habitée de l'histoire de l'humanité ?

A. *Soiouz*

B. *Saphir*

C. *Sigar*

D. *Saliout*

5 Où se dirigeait la mission *Apollo 13* quand l'un des réservoirs d'oxygène a explosé ?

Classez les planètes.

En 1973 a lieu le premier vol autour de Jupiter.
Classez les huit planètes du système solaire de la plus proche
à la plus éloignée du Soleil.

1. .... 2. .... 3. ....

4. .... 5. .... 6. ....

7. .... 8. ....

STAR WARS

SOLUTIONS P. 75

1 Dans *La Guerre des étoiles*, quel personnage redoutable brandit un sabre double ?

2 Combien d'années séparent les sorties en salles des épisodes III et IV de la saga ?

A. 15 ans   **B.** 18 ans

C. 25 ans   **D.** 28 ans

3 Quel était le métier d'Harrison Ford avant qu'il tourne dans *La Guerre des étoiles* ?

4 Avec quel réalisateur de renom George Lucas a-t-il fondé la société de production American Zoetrope en 1969 ?

A. Stanley Kubrick

B. Francis Ford Coppola

C. David Lynch

D. Sydney Pollack

5 Quel est la planète natale de la princesse Leia ?

6

Associez chaque épisode
à sa date de diffusion et à son titre.

1. Épisode I •   • 1977 •   • *L'Empire contre-attaque*

2. Épisode II •   • 1980 •   • *Le Retour du Jedi*

3. Épisode III •   • 1983 •   • *La Guerre des étoiles*

4. Épisode IV •   • 1999 •   • *La Revanche des Sith*

5. Épisode V •   • 2002 •   • *La Menace fantôme*

6. Épisode VI •   • 2005 •   • *L'Attaque des clones*

PERSONNAGES HISTORIQUES

SOLUTIONS P. 75

1 Qui a précédé John Major comme Premier ministre du Royaume-Uni ?

2 Quel président américain a commencé sa vie professionnelle en cultivant de l'arachide ?

A. Franklin D. Roosevelt

B. Harry S. Truman

C. Jimmy Carter

D. Ronald W. Reagan

3 Quel scandale a obligé Nixon à démissionner ?

4 Quel colonel est devenu le dirigeant de son pays suite à un coup d'État mené en 1969 contre le roi Idris Ier ?

A. Jean Bédel Bokassa

B. Hassane Mossi

C. Houari Boumédiène

D. Mouammar Kadhafi

5 Qui a été le premier président du Sénégal, entre 1960 et 1980 ?

6

Cochez la bonne réponse.

1. Qui a été le premier dirigeant politique américain à se rendre à Cuba après la prise du pouvoir par Fidel Castro en 1959 ?
   - ❏ John F. Kennedy
   - ❏ Jimmy Carter
   - ❏ Richard Nixon
   - ❏ Ronald Reagan

2. Hailé Sélassié a régné…
   - ❏ En Éthiopie
   - ❏ En Égypte
   - ❏ À Madagascar
   - ❏ Au Niger

3. À quel pape Jean-Paul II a-t-il succédé ?
   - ❏ Pie XII
   - ❏ Jean-Paul Ier
   - ❏ Jean XXIII
   - ❏ Benoît XV

4. Quel a été le premier président des États-Unis à se rendre au Vietnam après la guerre du Vietnam ?
   - ❏ George W. Bush
   - ❏ Richard Nixon
   - ❏ John F. Kennedy
   - ❏ Bill Clinton

5. Quel homme politique a précédé Valéry Giscard d'Estaing au fauteuil 16 de l'Académie française ?
   - ❏ Michel Debré
   - ❏ Michel Déon
   - ❏ Léopold Sédar Senghor
   - ❏ Edgar Faure

INSOLITE

SOLUTIONS P. 76

1 Pour quel exploit Alan Shepard a-t-il été qualifié de « golfeur extraterrestre » ?

2 Quel pays nordique a été le premier à interdire les gifles et les fessées données aux enfants en 1979 ?

A. Le Danemark
B. La Norvège
C. La Suède
D. La Finlande

3 Quelle course l'athlète Edwin Moses a-t-il remportée 122 fois de suite ?

4 Dans quelle université anglaise peut-on passer un diplôme de maîtrise sur les Beatles ?

A. À Londres
B. À Liverpool
C. À Manchester
D. À Oxford

5 Quelle chanson appréciée des stades figurait sur la face B du 45-tours *We Will Rock You* ?

6

1. Dans quel hôtel la petite fille de la chanson
Le téléphone pleure passe-t-elle ses vacances ?

....

2. Quel comique a dit : « Si un jour les Japonais fabriquent
du camembert et du vin rouge, il faudra fermer la France » ?

....

3. Selon *Le Guide du voyageur galactique*, quelle est la réponse
à « la grande question sur la vie, l'univers et le reste » ?

....

4. De quel chanteur mythique Mister Lonely
est-il le sosie dans le film qui porte son nom ?

....

5. Quel chanteur d'un célèbre groupe a été nommé
« Homme de la paix 2008 » par des prix Nobel
pour son combat pour l'Afrique ?

....

CULTURE

SOLUTIONS P. 76

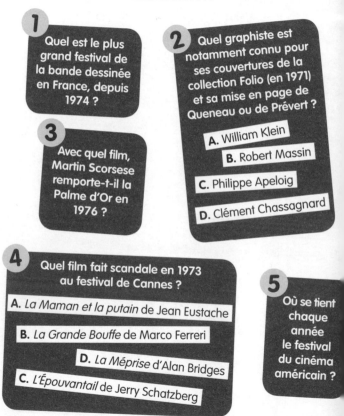

1 Quel est le plus grand festival de la bande dessinée en France, depuis 1974 ?

2 Quel graphiste est notamment connu pour ses couvertures de la collection Folio (en 1971) et sa mise en page de Queneau ou de Prévert ?

A. William Klein

B. Robert Massin

C. Philippe Apeloig

D. Clément Chassagnard

3 Avec quel film, Martin Scorsese remporte-t-il la Palme d'Or en 1976 ?

4 Quel film fait scandale en 1973 au festival de Cannes ?

A. *La Maman et la putain* de Jean Eustache

B. *La Grande Bouffe* de Marco Ferreri

D. *La Méprise* d'Alan Bridges

C. *L'Épouvantail* de Jerry Schatzberg

5 Où se tient chaque année le festival du cinéma américain ?

Classez ces 6 césars du meilleur film
par ordre chronologique.

L'Argent des autres
de Christian de Chalonge

Tess
de Roman Polanski

Monsieur Klein
de Joseph Losey

Le Vieux Fusil
de Robert Enrico

Le Dernier Métro
de François Truffaut

Providence
d'Alain Resnais

1. ....

2. ....

3. ....

4. ....

5. ....

6. ....

TÉLÉVISION

SOLUTIONS P. 77

1 À la fin des années 1970, quelle émission rassemblait Denise Fabre, Bernard Golay et Garcimore ?

2 Dans quelle série américaine retrouve-t-on les familles Abbott et Newman à Genoa City ?

A. *Les Feux de l'amour*

B. *Dallas*   C. *Côte Ouest*

D. *Dynastie*

3 Dans quelle série télévisée peut-on croiser Huggy-les-bons-tuyaux ?

4 Comment s'appelle le personnage incarné par Farrah Fawcett dans *Drôles de Dames* ?

A. Sabrina Duncan

B. Kelly Garrett

C. Kris Munroe

D. Jill Munroe

5 Dans la série *Les Shadocks*, qui sont les rivaux des Shadocks ?

6

1. Elle a présenté une émission
aux côtés du magicien Garcimore. • • Fabienne Égal

2. Elle est devenue
présentatrice météo. • • Denise Fabre

3. Elle a sorti plusieurs 45 tours. • • Évelyne Leclercq

4. Elle a présenté
« Tournez manège »
avec Évelyne Leclerc. • • Dorothée

5. Elle est devenue par la suite
l'animatrice préférée des enfants. • • Évelyne Dhéliat

SPORTS

SOLUTIONS P. 77

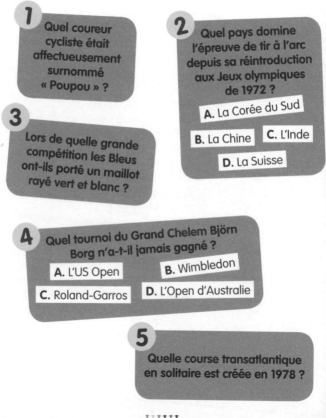

1 Quel coureur cycliste était affectueusement surnommé « Poupou » ?

2 Quel pays domine l'épreuve de tir à l'arc depuis sa réintroduction aux Jeux olympiques de 1972 ?

A. La Corée du Sud

B. La Chine   C. L'Inde

D. La Suisse

3 Lors de quelle grande compétition les Bleus ont-ils porté un maillot rayé vert et blanc ?

4 Quel tournoi du Grand Chelem Björn Borg n'a-t-il jamais gagné ?

A. L'US Open   B. Wimbledon

C. Roland-Garros   D. L'Open d'Australie

5 Quelle course transatlantique en solitaire est créée en 1978 ?

6

Cochez la bonne réponse.

1. De quelle origine est le joueur de football Diego Maradona ?
- ❏ Brésilienne
- ❏ Argentine
- ❏ Mexicaine
- ❏ Colombienne

2. La FFF a reconnu officiellement le football féminin en…
- ❏ 1950
- ❏ 1982
- ❏ 1970
- ❏ 1998

3. Contre quelle équipe l'AS St-Etienne a-t-elle joué la finale de la Ligue des Champions en 1976 ?
- ❏ Real Madrid
- ❏ La Juventus
- ❏ FC Barcelone
- ❏ Le Bayern de Munich

4. Au football, quelle marque a équipé les Bleus jusqu'en 1972 ?
- ❏ Adidas
- ❏ Le Coq Sportif
- ❏ Nike
- ❏ Lotto

5. En football, quelle marque a équipé les Bleus entre 1972 et 2010 ?
- ❏ Puma
- ❏ Nike
- ❏ Adidas
- ❏ Le Coq Sportif

MOYENS DE TRANSPORT

SOLUTIONS P. 78

1 Citez au moins trois des bons copains chantés par Yves Montand dans *À bicyclette*.

2 Quel était le slogan du ticket de métro jaune à bande marron, chanté, entre autres, par Serge Gainsbourg ?

A. Ticket chic, ticket choc

B. Billet chic, billet choc

C. Ticket tic, ticket toc

D. Billet tic, billet toc

3 Quel âge avait Jodie Foster pendant le tournage de *Taxi Driver* : 12 ans, 14 ans ou 16 ans ?

4 Dans *Le Vélo de Ghislain Lambert*, Ghislain Lambert (Benoît Poelvoorde) est né le même jour qu'un coureur cycliste des années 1970. Lequel ?

A. Raymond Poulidor

B. Eddy Merckx

C. Bernard Thévenet

D. Bernard Hinault

5 De quoi Jacques Tati, Coco Chanel et Serge Gainsbourg ont-ils été privés par la RATP ?

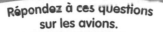

6

**Répondez à ces questions
sur les avions.**

1. En quelle année a eu lieu le tout premier vol du Concorde ?

....

2. Quelle ville d'Amérique du Sud le Concorde
a-t-il ralliée lors de son premier vol commercial en janvier 1976 ?

....

3. Quel film de Frank Marshall raconte l'histoire vraie
du crash de l'avion de l'équipe nationale uruguayenne en 1972 ?

....

4. Dans quelle chanson Jacques Higelin
demande-t-il à son moniteur « à quoi bon peut bien servir
un manche à balai » ?

....

5. Quel joueur de basket affronte Bruce Lee
dans *Le Jeu de la mort* et incarne l'un des pilotes
de *Y a-t-il un pilote dans l'avion* ?

....

ENFANCE

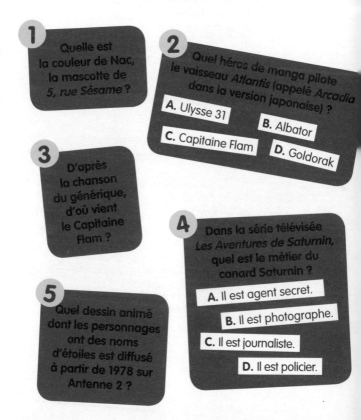

SOLUTIONS P. 78

1 Quelle est la couleur de Nac, la mascotte de *5, rue Sésame* ?

2 Quel héros de manga pilote le vaisseau *Atlantis* (appelé *Arcadia* dans la version japonaise) ?

A. Ulysse 31

B. Albator

C. Capitaine Flam

D. Goldorak

3 D'après la chanson du générique, d'où vient le Capitaine Flam ?

4 Dans la série télévisée *Les Aventures de Saturnin*, quel est le métier du canard Saturnin ?

A. Il est agent secret.

B. Il est photographe.

C. Il est journaliste.

D. Il est policier.

5 Quel dessin animé dont les personnages ont des noms d'étoiles est diffusé à partir de 1978 sur Antenne 2 ?

6

Seuls trois de ces dessins animés datent des années 1970 : lesquel ?

Les 101 Dalmatiens • La Belle et le Clochard • Bernard et Bianca • Oliver et Compagnie • Robin des Bois • Peter Pan • Alice au Pays des Merveilles • Les Aristochats • Merlin l'Enchanteur • Le Livre de la Jungle

1. ....
2. ....
3. ....

ENVIRONNEMENT

SOLUTIONS P. 79

1 Quelle catastrophe a donné son nom à tous les sites industriels considérés comme à risque en Europe ?

2 Sous quel nom de ville est plus connue la convention sur le commerce international des espèces de faune et flore sauvages menacées d'extinction ?

A. La convention de Rio

B. La convention de Washington

C. La convention de Seattle

D. La convention de Copenhague

3 Quelle organisation a été fondée en 1971 à Vancouver pour empêcher les États-Unis de poursuivre leurs essais nucléaires en Alaska ?

4 Quelle est la couleur de « l'agent » herbicide employé par l'armée américaine au cours de la guerre du Vietnam ?

A. Rose **B.** Marron **C.** Vert **D.** Orange

5 Quel animal est le symbole de WWF ?

6

Reliez chaque événement à sa date.

1. Convention de Washington • • 1971

2. Création du ministère
de l'environnement en France • • 1972

3. Nucléaire en France • • 1973

4. Conférence de Stockholm • • 1974

5. Grave accident de la centrale
de Three Mile Island • • 1979

ROCK

SOLUTIONS P. 79

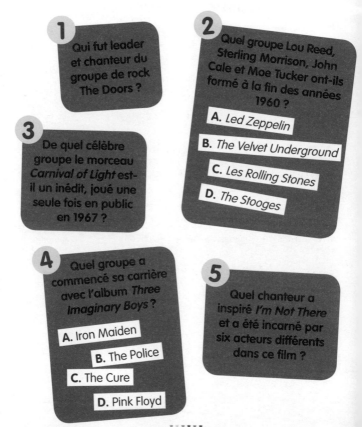

1 Qui fut leader et chanteur du groupe de rock The Doors ?

2 Quel groupe Lou Reed, Sterling Morrison, John Cale et Moe Tucker ont-ils formé à la fin des années 1960 ?

A. *Led Zeppelin*

B. *The Velvet Underground*

C. *Les Rolling Stones*

D. *The Stooges*

3 De quel célèbre groupe le morceau *Carnival of Light* est-il un inédit, joué une seule fois en public en 1967 ?

4 Quel groupe a commencé sa carrière avec l'album *Three Imaginary Boys* ?

A. Iron Maiden

B. The Police

C. The Cure

D. Pink Floyd

5 Quel chanteur a inspiré *I'm Not There* et a été incarné par six acteurs différents dans ce film ?

▼▼▼▼▼▼
TRIVIAL PURSUIT

6

Cochez la bonne réponse.

1. Quel groupe des années 1970 Iggy Pop a-t-il reformé pour la tournée 2009 Raw Power ?
- ❏ Def Leppard
- ❏ Black Sabbath
- ❏ The Iguanas
- ❏ The Stooges

2. Quel nom de scène Stefani Germanotta a-t-elle tiré d'une chanson de Queen ?
- ❏ Ms. Rhye
- ❏ Girl Rhapsody
- ❏ Lady Gaga
- ❏ Amy Winehouse

3. Lequel de ces formats n'est pas celui d'un disque vinyle ?
- ❏ 33 tours
- ❏ 45 tours
- ❏ 54 tours
- ❏ 78 tours

4. Quel animal apparaît sur la pochette de l'album *Bridges to Babylon* des Rolling Stones ?
- ❏ Une panthère
- ❏ Un chat
- ❏ Un puma
- ❏ Un lion

5. Quel groupe de rock britannique s'est reformé en décembre 2007 pour un concert caritatif donné à Londres ?
- ❏ Les Beatles
- ❏ Led Zeppelin
- ❏ Pink Floyd
- ❏ Aerosmith

GASTRONOMIE

SOLUTIONS P. 80

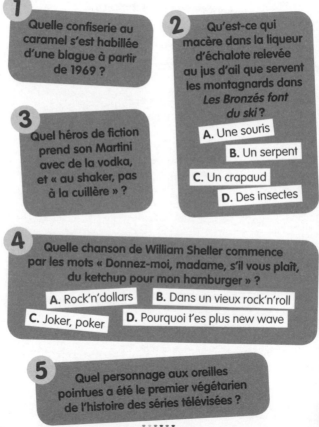

1 Quelle confiserie au caramel s'est habillée d'une blague à partir de 1969 ?

2 Qu'est-ce qui macère dans la liqueur d'échalote relevée au jus d'ail que servent les montagnards dans *Les Bronzés font du ski* ?

A. Une souris

B. Un serpent

C. Un crapaud

D. Des insectes

3 Quel héros de fiction prend son Martini avec de la vodka, et « au shaker, pas à la cuillère » ?

4 Quelle chanson de William Sheller commence par les mots « Donnez-moi, madame, s'il vous plaît, du ketchup pour mon hamburger » ?

A. Rock'n'dollars

B. Dans un vieux rock'n'roll

C. Joker, poker

D. Pourquoi t'es plus new wave

5 Quel personnage aux oreilles pointues a été le premier végétarien de l'histoire des séries télévisées ?

6

Répondez aux questions suivantes.

1. Quel chewing-gum est représenté
par un blondinet musclé ?

....

2. Quelle confiserie des années 1970 est en
forme de coquillage ?

....

3. Quelle crème dessert est créée
en 1970 par Danone ?

....

4. Quelle mascotte de Nesquik
a précédé Quicky ?

....

5. Quel artiste du xxe siècle a créé
le logo des Chupa Chups ?

....

1 Quelle émission de radio Max Meynier animait-il entre 1972 et 1983 sur RTL ?

2 Qui a précédé Serge July à la direction de la publication du quotidien *Libération* ?

A. Jean-Paul Sartre

B. André Malraux

C. André Gide

D. Albert Camus

3 Dans quelle revue la bande dessinée Tom-Tom et Nana paraît-elle pour la première fois en 1977 ?

4 Quel mensuel, créé par Georges Bernier et François Cavanna, a précédé *Charlie Hebdo* ?

A. *Zélium*

B. *Le Canard enchaîné*

C. *Fluide glacial*

D. *Hara-Kiri*

5 Quelle cérémonie, créée en 1976, récompense chaque année les professionnels du septième art ?

6

Associez chaque media
à sa date de création.

1. « Libération » ●

2. « Le Point » ●

3. « Radio France » ●

4. « Fluide Glacial » ● ● 1972

5. Chaîne « FR3 » ● ● 1973

6. Émission TV
« Apostrophe » ● ● 1975

7. Émission
« Des chiffres et des lettres » ●

SOCIÉTÉ FRANÇAISE

SOLUTIONS P. 81

1 À quels personnages doit-on l'adage selon lequel « plus ça rate, plus on a de chances que ça marche » ?

2 Dans quelle prison Mesrine a-t-il écrit ses mémoires, à la source du film *Mesrine, l'instinct de mort* ?

A. La prison de Fresnes

B. La prison de Fleury-Mérogis

C. La prison de Versailles

D. La prison de la Santé

3 Quel livre écrit en breton par Pierre-Jakez Hélias est paru en 1975 et a dépassé les 500 000 exemplaires ?

4 Qui a écrit que « sans imagination, l'amour n'a aucune chance » ?

A. Jean-Paul Sartre

B. Romain Gary

C. Simone de Beauvoir

D. Albert Camus

5 Quel concours a gagné Marie Myriam en 1977 ?

6

Associez chaque événement à sa date.

1. Premier Mc Donald's
en France •

         • 1974

2. Ouverture du périphérique
à Paris •

         • 1979

3. Utilisation du code-barres •

         • 1976

4. Loi Veil •

         • 1978

5. Création du Front National •

         • 1975

ACTUALITÉS NEWS

SOLUTIONS P. 81

1 En quelle année s'est déroulée la fameuse mission Appollo XIII, rentrée en catastrophe sur Terre ?
- ☐ 1970 ☐ 1971 ☐ 1972

2 Quand le premier choc pétrolier a-t-il eu lieu ?
- ☐ 1973
- ☐ 1974
- ☐ 1975

3 Comment s'appelait le personnage qui animait les campagnes pour économiser l'énergie ?
- ☐ Gachepa
- ☐ Gachi
- ☐ Gaspi

4 Où et quand les accords de paix de la fin de la guerre du Vietnam ont-ils été signés ?
- ☐ En 1972 à Londres
- ☐ En 1973 à Paris
- ☐ En 1974 à Genève

5

Répondez à ces questions sur
l'actualité des années 1970.

1. En quelle année a eu lieu la grande sécheresse ?

....

2. En quelle année Margaret Thatcher
devient-elle Premier ministre ?

....

3. En quelle année Karol Jozef Woityla devient-il
le pape Jean-Paul II ?

....

4. Quand la loi sur la légalisation de l'avortement
a-t-elle été votée en France ?

....

5. En quelle année Björn Borg remporte-t-il
Roland Garros à l'âge de 18 ans ?

....

DISCO

SOLUTIONS P. 82

1

Quel événement a vraiment lancé le mouvement du disco ?

☐ Une Dance Party géante dans les rues de New York en 1975.

☐ La diffusion à la télé américaine des championnats du monde en 1976.

☐ La sortie du film *La Fièvre du samedi soir* en 1977.

2

Quelle était la boîte mythique de la fin des années 1970 à New York ?

☐ Aquarius

☐ Wonderland

☐ Studio 54

3

Quel était son équivalent à Paris ?

☐ Le Baron

☐ Le Palace

☐ Le Ritz

4

Qui a chanté « I will survive », une des chansons emblématiques du Disco ?

☐ Grace Jones

☐ Anita Ward

☐ Gloria Gaynor

5

Reliez chaque tube
à son interprète.

« The Fool »	● Joe Dassin
« C'est une belle histoire »	● Michel Delpech
« Pour un flirt »	● Patrick Juvet
« L'Amérique »	● Mike Brant
« Où sont les femmes ? »	● Gilbert Montagné
« C'est comme ça que je t'aime »	● Michel Fugain
« Laisse-moi vivre ma vie »	● Frédéric François

POLITIQUE

SOLUTIONS P. 83

1

Aux États-Unis, le Président Nixon a dû quitter le pouvoir, suite à une affaire dont le nom était :

☐ Riverbridge
☐ Seaside
☐ Watergate

2

Qui a pris sa place, après son départ ?

☐ Gerald Ford
☐ Jimmy Carter
☐ Ronald Reagan

3

Que s'est-il passé le 16 mars 1978 ?

☐ *Le Canard Enchaîné* révèle l'affaire des diamants de Giscard d'Estaing.
☐ Le naufrage de l'*Amoco Cadiz* provoque une marée noire sans précédent en Bretagne.
☐ Le ministre Robert Boulin est retrouvé « suicidé ».

4

Avant l'extrémisme religieux d'Al-Qaida, les extrémistes politiques ont sévi pendant les années 1970. Action directe en France, Brigades rouges en Italie. En Allemagne, c'était ?

☐ Le groupe de Meinhof
☐ Les fractions de Karlsruhe
☐ La bande à Baader

5

Qui a reçu le prix Nobel de la Paix en 1975 ?

☐ Andrei Sakharov pour son action en faveur des Droit de l'Homme.
☐ Mère Térésa pour son action au service des plus démunis.
☐ Menahem Begin et Anouar El Sadate pour les négociations de paix entre l'Égypte et Israël.

6

Répondez aux questions suivantes.

1. En quelle année meurt Mao Zetong ?

....

2. En quelle année Willy Brandt est-il contraint
à la démission ?

....

3. Qui devient président de la République française
en 1974 ?

....

4. Quel pays voit la fin de la Dictature des Colonels
en 1974 ?

....

5. En quelle année meurt le général de Gaulle ?

....

SOLUTIONS

SOLUTIONS

FRANCE

1. À l'aide d'un macaron portant la mention « 90 » ;
2. B. Alain Peyrefitte ; **3.** Jean-Paul Sartre ;
4. C. Valéry Giscard d'Estaing ; **5.** Professeur Choron.

6 : 1. 1971 ; **2.** 1970 ; **3.** 1973 ; **4.** 1977 ; **5.** 1974.

PEOPLE

1. Ils sont cousins ; **2. B.** Ringo ; **3.** Ingrid Bergman ;
4. B. La Grèce ; **5.** À Juliette Gréco.

6 : 1. Sheila ; **2.** Bono ; **3.** Carlos ; **4.** Chantal Goya ;
5. C. Jérôme.

SOLUTIONS

ARTS

1. Niki de Saint Phalle ; **2. A.** Les Choux ;
3. Le prix Pritzer ; **4. B.** L'opéra de Sydney ;
5. Alexander Calder.

6 : 1. Gaston Lagaffe ; **2.** Corto Maltese ;
3. Jack Palmer ; **4.** Jeremiah ; **5.** Thorgal et Aaricia.

EUROPE

1. 1976 ; **2. D.** La Suède ; **3.** La Lituanie ;
4. A. Au Portugal ; **5.** Checkpoint Charlie.

6 : 1. Mark ; **2.** Schilling ; **3.** Drachme ; **4.** Lire ;
5. Peseta ; **6.** Livre ; **7.** Escudo ; **8.** Franc ; **9.** Florin ;
10. Mark.

SOLUTIONS

SPORTIFS

1. L'homme le plus fort du monde ;
2. **B.** Le saut en longueur ; **3.** Nadia Comaneci ;
4. **C.** 1971 ; **5.** Michel Platini.

6 : **1.** Mark Spitz ; **2.** Edwin Moses ; **3.** Eddy Merckx ;
4. Bernard Hinault ; **5.** Jim Hines.

CINÉMA

1. *2001, l'Odyssée de l'espace* ;
2. **C.** Romy Schneider ; **3.** *Bloody Sunday* ;
4. **B.** *La Vie de Brian* ; **5.** Sylvia Kristel.

6 : **1.** Roger Moore ; **2.** Le Mi6 ; **3.** Ursula Andress ;
4. *GoldenEye* ; **5.** À un crocodile.

SOLUTIONS

GASTRONOMIE
1. Carambar ; **2. C.** Un crapaud ; **3.** James Bond ;
4. A. Rock'n'dollars ; **5.** M. Spock.

6 : 1. Malabar ; **2.** Le roudoudou ; **3.** La Danette ;
4. Groquik ; **5.** Salvador Dali.

MÉDIAS
1. *Les routiers sont sympas* ; **2. A.** Jean-Paul Sartre ;
3. *J'aime lire* ; **4. D.** *Hara-Kiri* ; **5.** Les César.

6 : 1. 1973 ; **2.** 1972 ; **3.** 1975 ; **4.** 1975 ; **5.** 1972 ;
6. 1975 ; **7.** 1972.

SOLUTIONS

SOCIÉTÉ FRANÇAISE
1. Les Shadoks ; **2. D.** La prison de la Santé ;
3. Le Cheval d'orgueil ; **4. B.** Romain Gary ;
5. Eurovision.

6 : 1. 1979 ; **2.** 1973 ; **3.** 1977 ; **4.** 1975 ; **5.** 1972.

ACTUALITÉS
1. 1970 ; **2.** 1973 ; **3.** Gachi **4.** En 1973 à Paris.

5 : 1. 1976 ; **2.** 1979 ; **3.** 1978 ; **4.** 1975 ; **5.** 1974.

SOLUTIONS

DISCO

1. La sortie du film *La Fièvre du samedi soir* (*Saturday Night Fever*) en 1977 ; **2.** Studio 54 ; **3.** Le Palace ; **4.** Gloria Gaynor.

5 : 1. « The Fool » de Gilbert Montagné ;
« C'est une belle histoire » de Michel Fugain ;
« Pour un flirt » de Michel Delpech ;
« L'Amérique » de Joe Dassin ;
« Où sont les femmes ? » de Patrick Juvet ;
« C'est comme ça que je t'aime » de Mike Brant ;
« Laisse-moi vivre ma vie » de Frédéric François.

SOLUTIONS

POLITIQUE

1. Watergate ;
2. Gerald Ford ;
3. Le naufrage de l'*Amoco Cadiz* provoque
une marée noire sans précédent en Bretagne ;
4. La bande à Baader ;
5. Andrei Sakharov pour son action en faveur
des Droit de l'Homme.

6 : 1. 1976 ; **2.** 1974 ; **3.** Valéry Giscard d'Estaing ;
4. La Grèce ; **5.** 1970.

NOTES

NOTES

NOTES

NOTES

....
....
....
....
....
....
....
....
....
....
....
....
....
....
....
....
....
....
....
....

Dans la même collection !

Édité par Hachette Livre (43, quai de Grenelle, 75905 Paris Cedex 15)
Imprimé par Dedalo en Espagne pour le compte des éditions Marabout
Dépôt légal : Juin 2012
ISBN : 978-2-501-07939-6
41.0999.7
Édition 01